D

Réalisation : Atelier JMLF

Nous remercions pour leur collaboration :
Anne Jolly pour la mise en images,
Brigitte Delpech pour les textes.
Conception de couverture : Atelier JMLF

pas de chance,

Bécassine !

Caumery / Pinchon

GAUTIER-LANGUEREAU

Bécassine
touche-à-tout

Ça y est, Bécassine sait marcher ! Depuis ce matin elle trottine fièrement dans la maison. Du coup, elle peut toucher à tout, goûter à tout, et elle ne s'en prive pas :

tout l'intéresse et l'attire. Tout est à découvrir. C'est à un vrai petit diable que ses parents ont affaire.

Il faut *beaucoup* la surveiller, car elle fait *beaucoup* de bêtises. Oh ! les joyeuses flammes qui dansent dans la cheminée ! Oh! la belle lune qui se reflète dans l'eau du seau. Vite, attrapons-les !

Ses expériences tournent parfois mal, et Bécassine, qui se penche, bascule dedans ! Heureusement, elle a bon caractère : inondée, elle rit au lieu de pleurer.

Elle n'a pas froid aux yeux et rêve d'autres exploits. Justement, sa maman a mis à refroidir une appétissante bassine de confiture dans un coin de la cuisine.

Et Bécassine adore la confiture ! Il n'y a personne, ses parents sont occupés ailleurs, l'occasion est trop belle pour la laisser passer sans en profiter.

La petite gourmande plonge au fond de la bassine et y trempe ses menottes avec délices. Cette confiture est un vrai régal !

Elle n'entend pas arriver sa maman, furieuse. Et quand on la gronde en la nettoyant, Bécassine n'écoute rien et continue à se lécher les babines.

Bécassine
et le vase aux chats

C'est la fin des vacances, on rentre à Paris. Bécassine
aide Madame de Grand-Air à préparer les bagages. Il ne
faut rien oublier, et se dépêcher, car le train part dans
quelques minutes.

« Pendant le voyage, vous garderez tout près de vous
mes précieux vases chinois », recommande Madame de
Grand-Air. Bécassine promet de veiller sur eux comme
sur ses enfants.

Madame de Grand-Air part devant. Vite, un dernier tour d'inspection. Surprise : au grenier, quatre beaux chatons viennent de naître !

« On ne peut pas abandonner ces bouts de choux, pense Bécassine, ils mourraient de faim! » Mais comment les transporter ?

Elle n'est pas longue à se décider : en un clin d'œil, voici les chatons enfournés dans les vases chinois.

« Vous n'aurez jamais meilleure maison ! » leur dit-elle.
Vite, il faut filer à la gare.

Dans le hall plein de monde, Madame de Grand-Air s'impatiente : « Que fait donc Bécassine ! »
Soudain, elle voit ses chers vases dépasser de la foule.
« Par ici ! » crie-t-elle. Bécassine la rejoint et pose son lourd chargement par terre.

Le train entre en gare. La cohue est indescriptible. Pas de place pour celles qui ne joueront pas des coudes ! Bécassine doit rester debout.

Mais à peine le train a-t-il démarré, qu'elle pousse un grand cri : « Les vases ! les chatons ! »
Ils sont restés sur le quai ! Vite, le signal d'alarme. Le train s'arrête dans un grand crissement de freins, projetant tous les voyageurs les uns sur les autres.

Mais Bécassine n'en a cure. Au risque de se casser la figure, elle jaillit du train comme un diable de sa boîte, saute sur le quai et se précipite dans la gare.

Catastrophe ! Quand elle arrive, les chats ont tellement gigoté , qu'ils ont renversé les vases, les ont brisés et se sont échappés !

« Tout ce mal pour rien ! » soupire Bécassine.

Bécassine
voleuse de dindons

Aujourd'hui Bécassine marche dans la campagne. Le temps est superbe et la promenade délicieuse. Bécassine respire l'air pur à pleins poumons.

Mais voilà qu'un gros dindon surgit devant elle sur la route, lui causant une belle frayeur.

« Qu'est-ce que cette bête fait là ? » s'étonne Bécassine.

Personne à l'horizon, pas un fermier à qui il pourrait appartenir.

« Il faut agir », se dit notre courageuse amie des bêtes.

Bécassine se penche et agite les bras en direction d'une ferme toute proche. « C'est par là, ta maison, mon gros ! » Mais il n'y a pas plus têtu qu'un dindon. L'air dédaigneux, il ignore les discours de Bécassine.

Impossible de l'abandonner là, il se perdrait. Il n'y a pas trente-six solutions. Bécassine soulève le volatile et le serre tant bien que mal contre son cœur.

C'est qu'il est lourd, l'animal !

La ferme est à quelques mètres de la route, et elle avance péniblement. Mais, brusquement, une petite troupe de fermiers furieux l'entoure ! Ils poussent des hurlements terribles.

« La voleuse ! La voleuse ! » crient-ils tous ensemble.
« C'est elle qui vole toutes nos bêtes depuis quelques
jours ! Heureusement que nous faisions le guet cette
fois-ci. »

Bécassine est abasourdie. Elle tremble de tous ses
membres et se met à pleurer. Elle voulait justement leur
rapporter le dindon ! Mais personne n'écoute ses
explications entrecoupées de sanglots.

La situation menace de mal tourner, les fermiers parlent d'appeler la police. Heureusement, au détour du chemin apparaît soudain le major Tacy Turn ! Il a tôt fait de tirer Bécassine des griffes des fermiers en colère en promettant qu'elle est tout sauf une voleuse. Bécassine, sauvée, jure que c'est bien la dernière fois qu'elle aide un dindon à rentrer chez lui !

Bécassine
décoratrice en poissons rouges

Virginie Patate a chargé son amie Bécassine d'organiser des réceptions dans son château. C'est un grand honneur, mais quelle responsabilité ! Heureusement, Bécassine est équipée : un livre sur « le grand chic » ne la quitte plus.

Le premier conseil est très intéressant : « Pour être tout à fait chic, placez des poissons chinois sur les tables. » « C'est une drôle d'idée », pense notre décoratrice en herbe. Mais, après tout, pourquoi pas ?

D'ailleurs, ça tombe bien, il y a des poissons rouges dans le grand bassin du parc.

« Chinois ou pas, pense Bécassine, ils feront l'affaire. » Armée d'une épuisette, elle a tôt fait de les pêcher tous.

Un couvert somptueux étincelle dans le grand salon. « Mes poissons vont faire très grand style ! » se réjouit Bécassine.

Mais où les mettre pour que tout le monde les voie bien ?
Ces petites carafes de cristal sont superbes. Les précieux
poissons rouges y nageront à leur aise.

En un tour de main, les voilà qui frétillent à l'intérieur.
Bécassine recule d'un pas et admire son travail.
« Quelle œuvre ! » pense-t-elle, très fière d'elle.

Soudain, pourtant, une idée la frappe : « Comment vont boire les invités pendant le dîner ? Mes beaux poissons ne peuvent pas rester là ! Il faut trouver autre chose. »

Vite, elle transvase ses « décorations exotiques » dans des jolies coupes. Ouf ! Il était grand temps, les amis de Virginie arrivent !

Tout le monde s'extasie devant ses poissons. Mais au cours du dîner, Monsieur Gévu, le grand voyageur, s'étonne : « C'est drôle, j'ai bu l'eau du Gange en Inde, et celle du Nil, en Egypte, mais aucune n'avait un goût aussi étrange que celle-ci ! »

« Qu'est-ce que c'est que ça ? » ajoute-t-il en apercevant un petit poisson qui gigote dans la carafe. « C'est une drôle d'idée que vous avez eue là, Bécassine, de nous faire boire cet animal ! »

Bécassine, rouge de confusion, se dandine d'un pied sur l'autre. Elle bredouille quelques explications : « Ce sont des poissons sauteurs, qui sautent de leur coupe dans la carafe... Original, non ? »

Puis elle ouvre grand la fenêtre qui donne sur le bassin du parc et s'écrie : « Je vais le faire sauter dans le bassin, ce poisson sauteur ! »

Bécassine
fait des conserves

Aujourd'hui, c'est jour de conserve chez Mister Colt.
Bécassine n'y connaît rien. Elle est très impressionnée
par l'intense activité qui règne dans la cuisine.

Une batterie de marmites et de boîtes en fer-blanc de
toutes tailles sont alignées sur les tables comme des
soldats, attendant qu'on s'occupe d'elles.

« C'est très simple, explique Mistress Colt. Vous remplissez les boîtes avec cette louche et vous collez les étiquettes. Dans chaque boîte, beaucoup de carottes, un peu d'oignons. Et sur les étiquettes : *Carottes à l'oignon*. Si vous mettez beaucoup d'oignons et peu de carottes, écrivez : *Oignons à la carotte.* »

Bécassine se met à l'ouvrage. Elle manie la louche et le pinceau à colle en sifflotant gaiement. Ce n'est pas si compliqué, les conserves !

Bientôt, on passe aux tomates et aux pommes de terre. Et hop ! une louchée de chaque dans les boîtes. Bécassine a pris de l'assurance, elle verse les légumes sans hésiter et se sent devenir une vraie « pro ».

C'est alors que Mister Colt fait une petite inspection. Il promène un nez méfiant au-dessus de son travail. « *Pommes de terre à la sauce tomate*, lit-il. OK ! »

Soudain il sursaute :

« *Tomates à la sauce pomme de terre* ! C'est une blague ?

– Non, explique Bécassine. Quand je mets beaucoup de tomates et très peu de pommes de terre, j'adapte les étiquettes, comme votre femme me l'a demandé. »

Mister Colt est très fâché. Il l'entraîne dans un coin de la cuisine et propose qu'elle fasse autre chose :
« Le lait condensé, c'est plus facile. Pas de mélange, donc pas d'erreur possible. Au travail ! »

Mais Bécassine n'ose pas avouer qu'elle ignore ce qu'est le lait condensé. A Clocher-les-Bécasses, on boit le lait tout frais tiré !
Comment fabrique-t-on cette affaire-là ?

Il doit falloir verser le lait dans les boîtes qui sont là, puis placer les boîtes dans ce panier, et secouer le tout le plus fort qu'on peut. En avant la musique ! Le lait jaillit, inonde les murs et le plancher, mais Bécassine a l'air très satisfaite.

Soudain, elle entend un rugissement. Mister Colt surgit, rouge de colère. « Que faites-vous, malheureuse ?
– Des boîtes de lait *qu'ont dansé*, comme vous me l'avez demandé », explique gentiment Bécassine.

Bécassine
et l'amulette porte-malheur

Doudou fait cadeau à Bécassine d'un porte-bonheur : une amulette en forme de griffe de vautour.

« Avec ça, dit-elle, vous serez protégée du mauvais sort. Moi, quand je suis venue en France, il y a eu une tempête pendant la traversée de l'océan. Mais je n'ai pas eu peur, j'avais mon amulette !

« Portez-la toujours sur vous, et il ne vous arrivera rien ! » Bécassine, enchantée, la remercie et retourne à ses occupations : une longue lettre à sa chère Loulotte.

Soudain, un glou-glou régulier l'attire dans la salle de bain. Mon Dieu ! La baignoire qui déborde ! Elle avait tout à fait oublié qu'elle se faisait couler un bain quand Doudou est entrée.

« Cette amulette protège peut-être des tempêtes sur la mer, mais pas des tempêtes dans les salles de bains ! »

Toute cette eau, c'est un vrai désastre pour les beaux tapis. Vite, il faut l'éponger avant qu'elle ne fasse trop de dégâts. Bécassine est très occupée à essorer la serpillière le plus rapidement qu'elle peut.

Son chat Bichon en profite pour sauter sur la table et s'installer sur la lettre destinée à Loulotte. Comme l'encre est encore fraîche, le résultat est catastrophique.

Bécassine pousse un cri. Bichon, effrayé, fait un bond
et s'enfuit en renversant l'encrier. Bravo ! La table et la
lettre sont recouvertes d'une large tache noire !
« Cette amulette n'est pas pour moi ! se dit Bécassine,
Je vais la rendre à Doudou, elle lui sera plus utile ! »

Dans la collection :

Les voyages de Bécassine
Au travail, Bécassine !
Sacrée Bécassine !
Loulotte et Bécassine
Quelle star cette Bécassine !
Les trouvailles de Bécassine
Les plaisirs de Bécassine
Les vacances de Bécassine
Les rencontres de Bécassine
La jeunesse de Bécassine
Marie Quillouch et Bécassine
Les exploits de Bécassine
Pas de chance, Bécassine !
Généreuse Bécassine
Les promenades de Bécassine
En avant, Bécassine !
Les animaux de Bécassine
La franchise de Bécassine

ISBN : 2.01.390591.2

Dépôt légal n°3138 mars 2000 - Édition 03
Imprimé chez Jean-Lamour à Maxéville et
relié chez A.G.M à forges-les-Eaux.

Loi n°49-956 du 16 juillet 1949
sur les publications destinées à la jeunesse.